GOSCINNY ET UDERZO
PRÉSENTENT
UNE AVENTURE D'ASTÉRIX

# ASTÉRIX CHEZ RAHÀZADE

OU

## LE COMPTE DES MILLE ET UNE HEURES

TEXTE ET DESSINS DE UDERZO

LES ÉDITIONS ALBERT RENÉ
26, AVENUE VICTOR HUGO   75116 PARIS

© Éditions ALBERT RENÉ, GOSCINNY & UDERZO, 1987
Dépôt légal : juillet 1997 n° 020-1-20
ISBN 2-86497-020-1

Imprimé en Belgique par Casterman, S.A., Tournai
Loi n° 49956 du 16 juillet 1949 sur les publications destinées à la jeunesse.

GOSCINNYRIX VDERZORIX

VIS COMICA*

ouvoir de faire rire : mots extraits d'une épigramme de César sur Térence, poète latin.

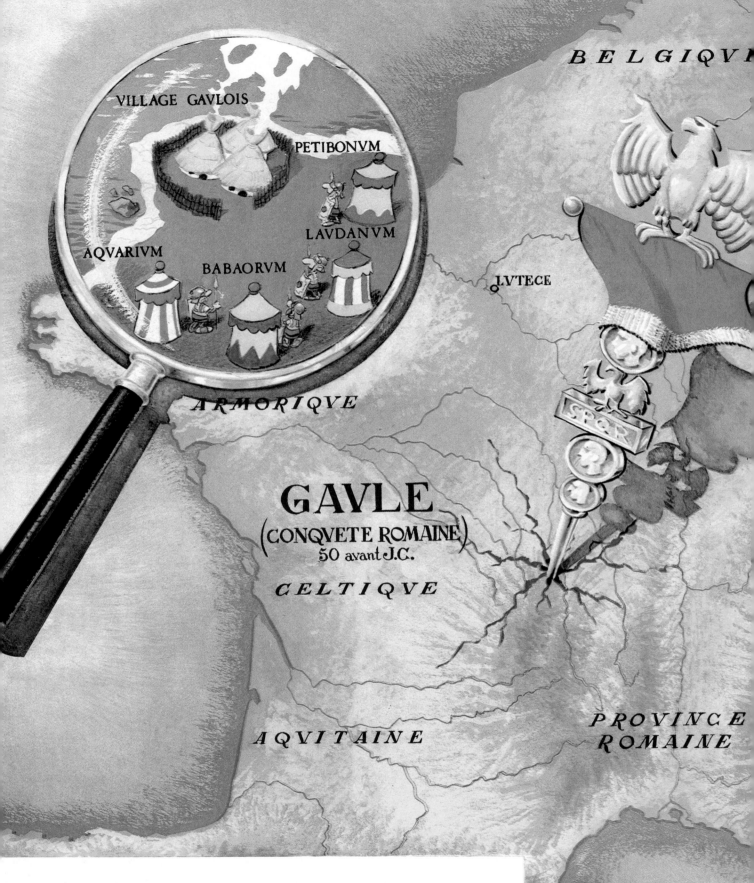

Nous sommes en 50 avant Jésus-Christ. Toute la Gaule est occupée par les Romains... Toute ? Non ! Un village peuplé d'irréductibles Gaulois résiste encore et toujours à l'envahisseur. Et la vie n'est pas facile pour les garnisons de légionnaires romains des camps retranchés de Babaorum, Aquarium, Laudanum et Petibonum...

8

9

11

12

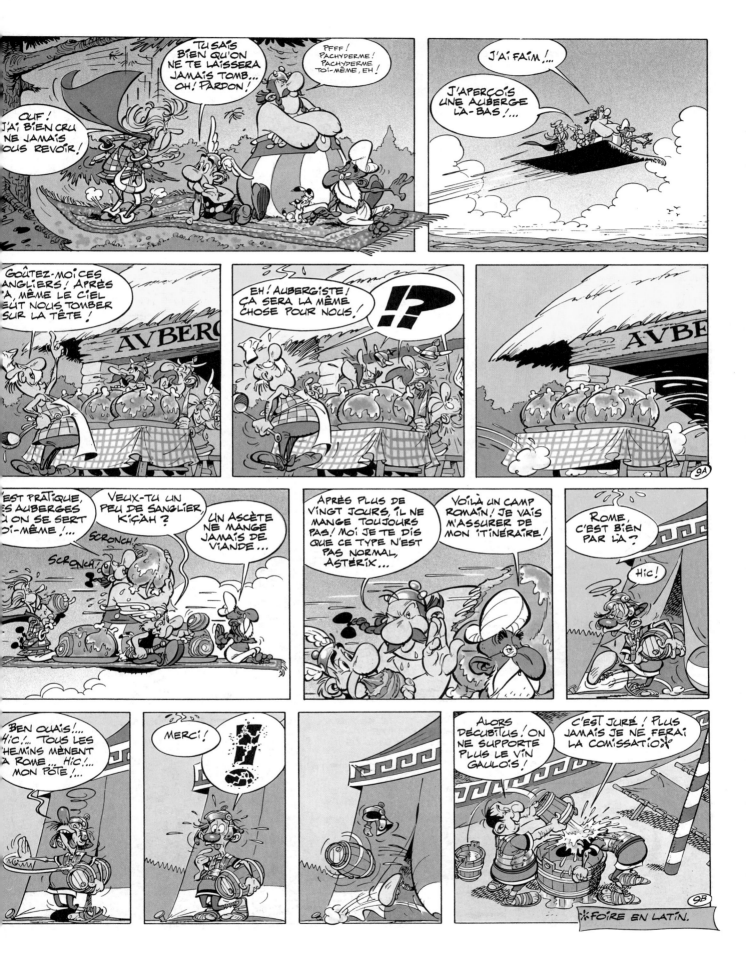

15

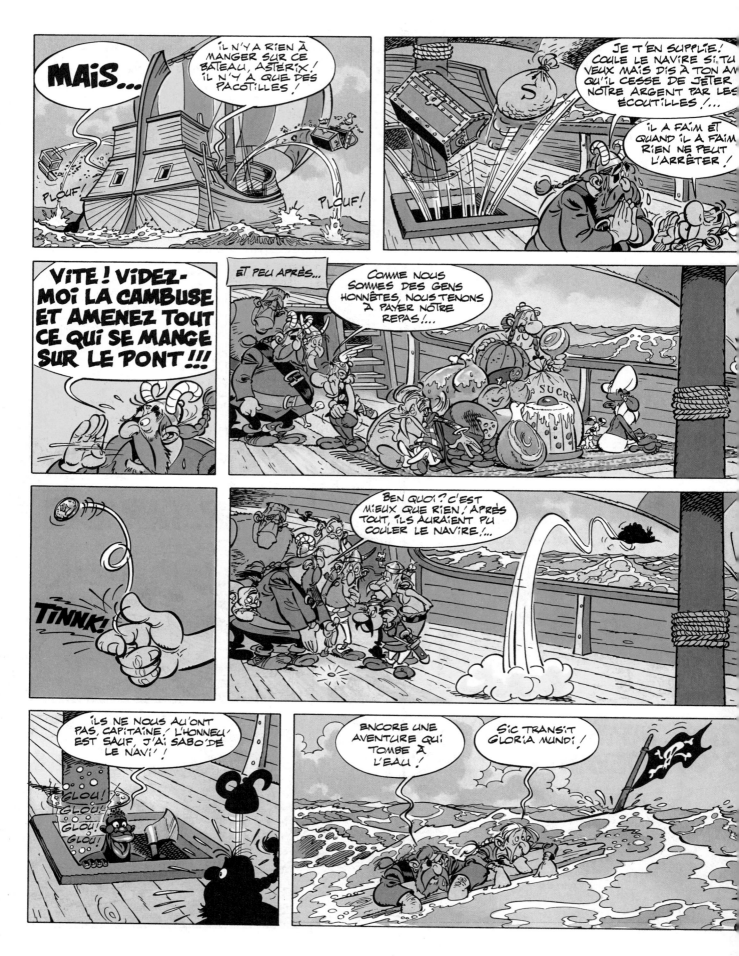

16

20

21

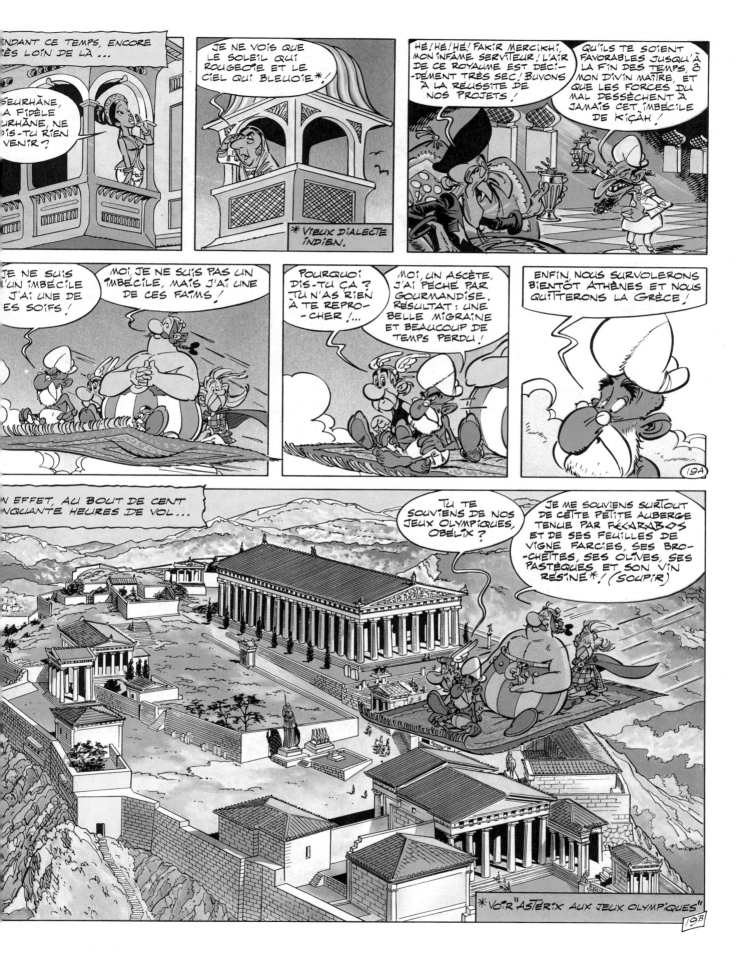

23

27

29

30

32

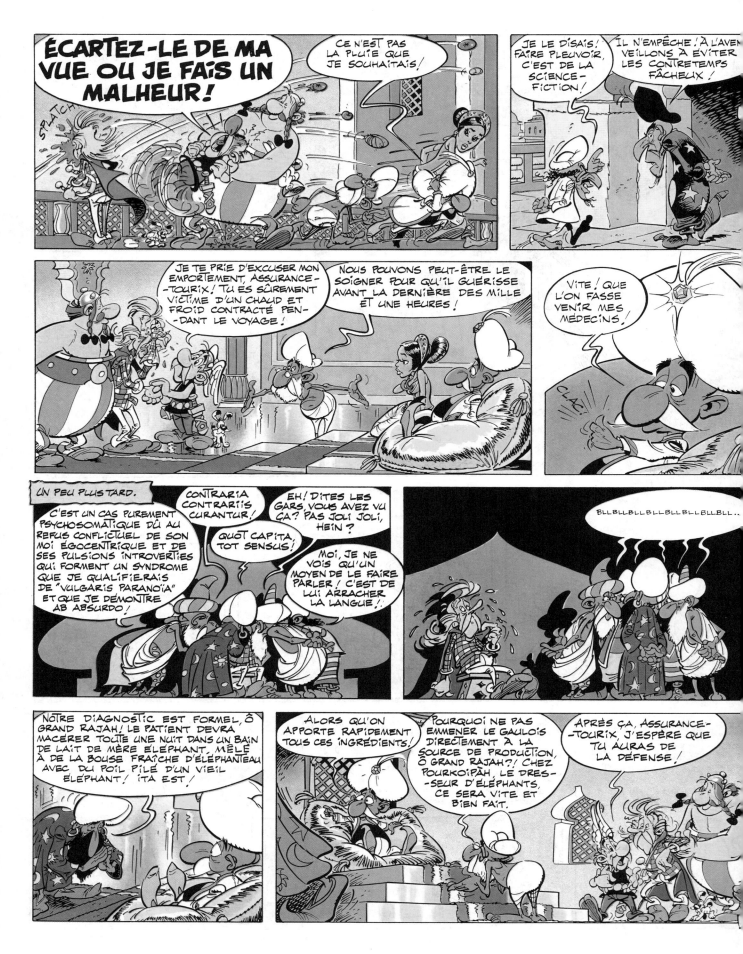

34

35

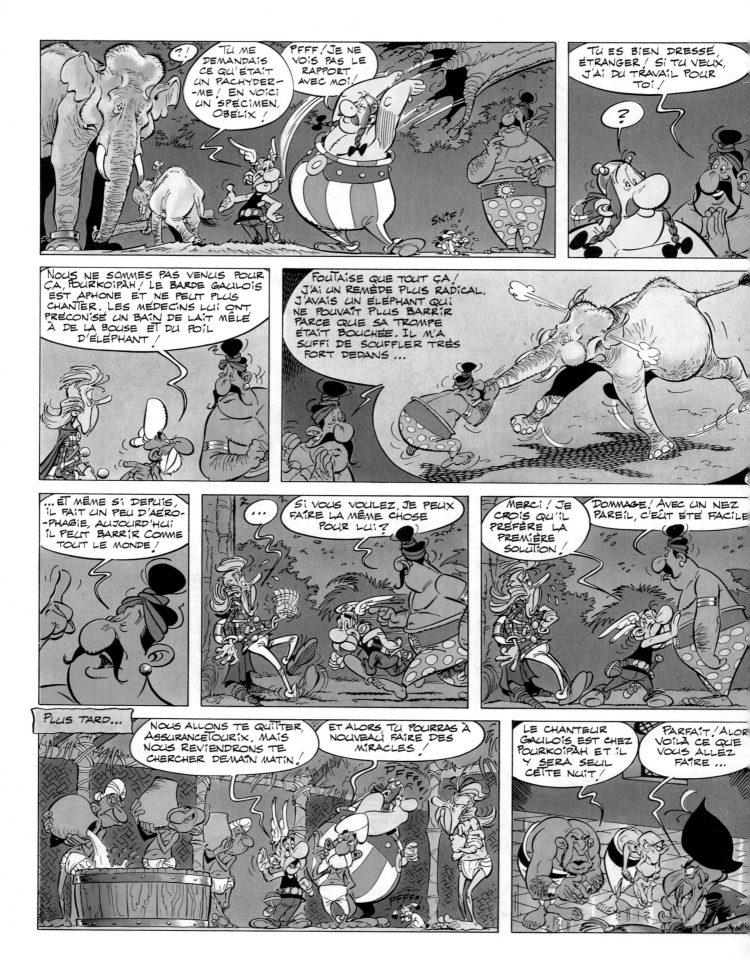

36

38

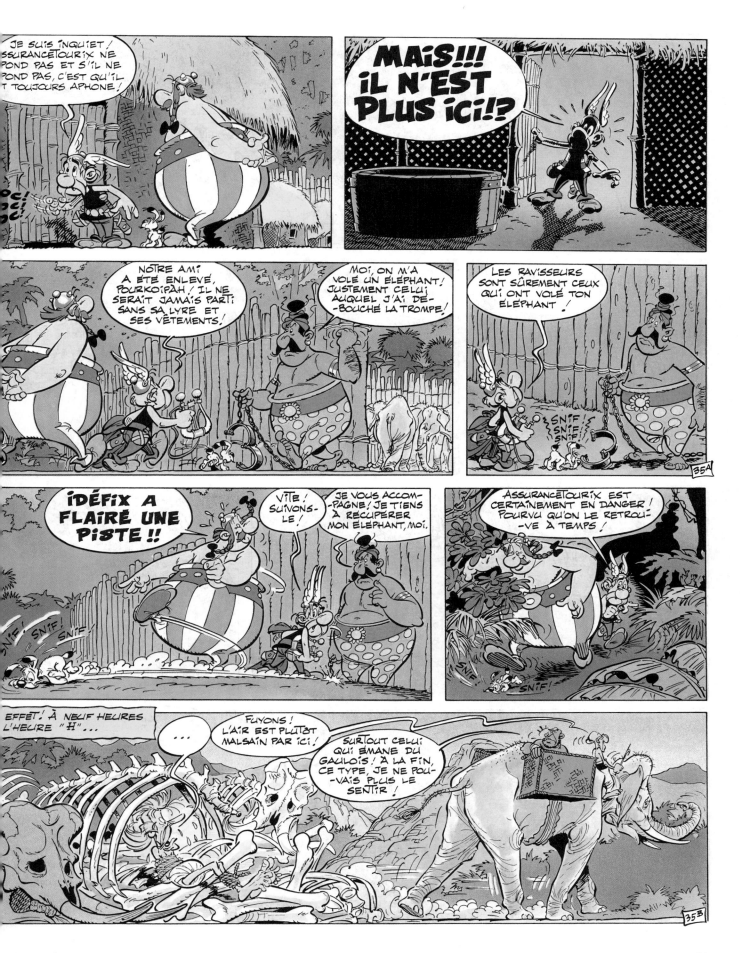

39

41

43

44

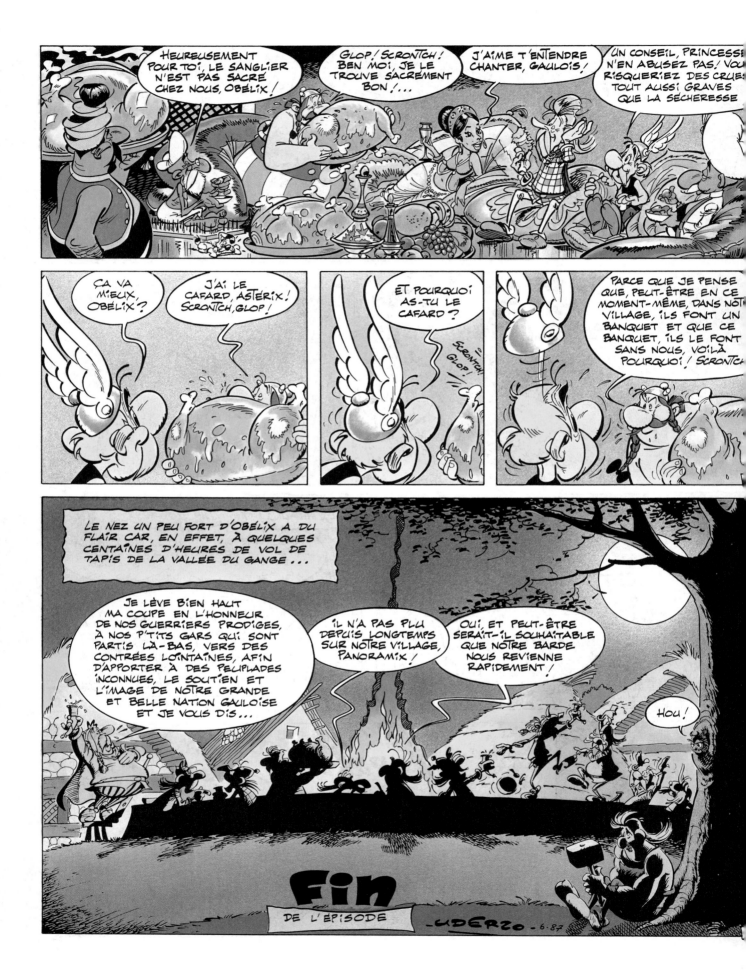